मातृभूमि भारत को समर्पित
dedicated to mother india

इस संग्रह की कविताएँ पहल, दस्तावेज़, बहुमत, मंतव्य, साहित्यकी, हिंदी जगत, इंडिया आब्जर्वर पोस्ट, हिंदी लिटरेचर टुडे आदि में पूर्व-प्रकाशित हैं

कल्पना सिंह के प्रस्तुत संग्रह की अंतर्ध्वनि सारी सृष्टि के साथ आत्मीय लगाव की है। संग्रह का शीर्षक — "जो तुम हो वही हूँ मैं" — तुम और मैं के इसी एकत्व को व्यक्त करता है। उपनिषद के ऋषि ने इसी को "तत्वमसि" कहा है, अर्थात 'तुम भी वही हो'। इस संग्रह में कई सन्दर्भों की कविताएँ हैं, मगर उनके मूल में है वही एकत्व बोध, जिसे आचार्य रामचंद्र शुक्ल ने "शेष सृष्टि के साथ रागात्मक संबंध" कहा है। उदाहरण के लिए इस संग्रह में पेड़ पर दस कविताएँ हैं। पेड़ पौधों के प्रति कवयित्री में गहरी संवेदना है। एक कटता हुआ वृक्ष आखरी सांस लेने के पहले उन्हें एक महाकाव्य सौंप जाता है। वह मेज पर सिर रख कर उसकी धड़कनें सुनती हैं तथा खिड़कियों-दरवाजों में दुनिया के तमाम जंगलों को रोता हुआ महसूस करती हैं। नदी उनके लिए बिना शब्दों के लिखी गयी एक कविता है। पृथ्वी को वह जितने प्रेम-पत्र लिखना चाहती हैं, उतने दुनिया भर के वृक्षों में पत्ते भी नहीं हैं।

कवयित्री इस समय अमेरिका में रह रही हैं मगर उनकी नाल स्वदेश और अपने परिवेश से जुड़ी है। बचपन के गांव, शहर का भूगोल, निरंजना (फल्गु) का तट, दादी की कहानियां, अपनी मातृभाषा, पर्व, त्यौहार, और किसानी संस्कार उनकी स्मृति और अस्तित्व में रचा-बसा है। अपने को वह कवि नहीं मातृभूमि कहती हैं — हर जीवित के संग जीवित और हर आहत के संग आहत। इस संग्रह में स्वदेश पर कई कविताएँ हैं, जिनमें खास तौर से चमकता है उनका लोक राग। फिर भी वह अपने को प्रवासी नहीं, यात्री मानती हैं, जो सृष्टि का जी. पी. एस. अपने साथ रखता है।

संग्रह में अनेक ऐसी कविताएँ भी हैं जिनमें अपने समय के काव्य-मुहावरे हैं। मगर इस संग्रह की मूल चेतना है सृष्टि के प्रति राग भाव। कविताएँ सहज, संप्रेषणीय और अर्थ गर्भित हैं, जिनका आशा है, पाठक स्वागत करेंगे।


- विश्वनाथ प्रसाद तिवारी

कल्पना सिंह की कविताएं एक गुस्ताखी हैं, क्षमायाचना रहित। इन कविताओं से गुजरते हुए पाब्लो नेरूदा याद आते हैं, जो कविता को 'प्योर नानसेंस और प्योर विजडम' कहते हैं। कल्पना के यहां जो प्रकृति के सहज, मासूम चित्र हैं उनकी मासूमियत अपनी बड़ी-बड़ी विस्मयबोध से भरी आंखें फाड़े आपसे संवाद को उतावला दिखती है। कवयित्री की जड़ें अपनी जमीन में गहरे धंसी हैं और उसकी मिटटी और गंध से भरपूर हैं। उनका लगाव दूर का ढोल नहीं है जो सब कुछ सुहावना दर्शाता है, बल्कि उनकी यथार्थवादी दृष्टि अपनी जमीन और उसके निवासियों के दुख-दर्द और त्रास को भी उसी तरह देखती है जैसे उसके सम्मोहक रंगों को। सम्मोहक अतीत की छाया कवि पर है पर भविष्य पर भी उसकी निगाह है और वह उस बदलाव को देख पाता है जिसे इस डिजिटल युग और सोशल मीडिया ने संभव किया है। कल्पना के यहां आत्मालोचना का रंग जिस गहराई से उभरता है वह एक कवि की सच्ची जिच को दर्शाता है, यह सच्ची जिद ही उनकी कविता की ताकत है।

~ कुमार मुकुल

कल्पना सिंह की अपनी जुदा काव्य ज़मीन है, जो पूर्व से पश्चिम तक अपनी तरह से विस्तृत है। उसमें परंपरा का विकास आधुनिक समाज-संस्कृति तक आकार लेता है। कहना न होगा उसका अपना द्वन्द्व भी है जो परंपरा का प्रतिफल है लेकिन उर्ध्वगामी है। उनकी कविताओं का आसरा मूल काव्य-भूमि में है, जहाँ उनकी स्मृतियों का अक्षुण्ण कोष है। यह कोष ही कविताओं में वस्तु को अन्वेषित करता है और आज से जोड़ता है। उनके काव्य में पारिवारिक, सामाजिक चित्र हैं। अपनी तरह से एक कायनात है और उसके सरोकार हैं। इन सरोकारों का दायरा स्मृतिगत मूल्यों में है जो विरासत में मिले हैं। सहमति-असहमति के रंग-रूप भी हैं। कल्पना के पास अपनी भाषा है और दृष्टि, जिसका उजला पक्ष उनकी गतिशीलता में है। जहाँ गत्यात्मकता होगी उसमें परिवर्तन होगा, जो कविताओं में है। उनका कहन उत्तरोत्तर विकासमान है और उनकी भाषा भी। मैं उनके काव्यात्मक जीवन की शुभाकांक्षा करता हूं।

~ लीलाधर मंडलोई

# परिचय

विदेशों में रचा जा रहा हिंदी साहित्य, मुख्यधारा का साहित्य है. उसे हाशिये पर रखना हिंदी भाषा के विकास को अवरुद्ध करना होगा. साहित्य को साहित्य की तरह पढ़ा जाना चाहिए, चाहे वह कहीं भी बैठ कर लिखा जाए. "जो तुम हो वही हूँ मैं" काव्य-संग्रह पर इसी दृष्टिकोण से विचार किया जाना चाहिए.

मैं कल्पना सिंह को हिंदी कवयित्री के रूप में तब से जानती हूँ जब मुझे उनके शहर, गया, बिहार में एक अखिल भारतीय कवि सम्मेलन और मुशायरे में कवि के रूप में 1985 में आमंत्रित किया गया था. तब उनका काव्य-संग्रह "चाँद का पैवंद," अयन प्रकाशन, नई दिल्ली से प्रकाशित हो रहा था, जिसे बाद में "बिहार राजभाषा परिषद" का पुरस्कार भी मिला.

अहमदाबाद लौटने के बाद भी उनसे मेरे संबंध बने रहे। फिर उनका काव्य-संग्रह "तफ़्तीश जारी है" प्रकाशित हुआ और उन्हें "बिहार श्री" का सम्मान मिला. कल्पना सिंह उस समय राजनीति शास्त्र में अभ्यासरत थीं, और उनका व्यक्तित्व कुछ ऐसा था जो आप पर छाप छोड़ता था. उनकी आंखें बोलती थीं, और वह कुछ अलग ही करना चाहती थीं. उन्हें फिल्मों और मॉडलिंग से भी लगाव था. चिटनिस परिवार में विवाह हो जाने के बाद वह मुंबई आ गयीं, और कल्पना सिंह-चिटनिस के नाम से जानी जाने लगीं. उस समय मैं एक पत्रकार भी थी, और मैंने उनकी कविताओं के बारे में लिखा.

1995 में विवाह के बाद अमेरिका आने पर पता चला कि कल्पना भी विवाहोपरांत अमेरिका आ बसी है. अमेरिका आकर मैंने "प्रवासी हस्ताक्षर" कविता संग्रह निकाला जिसमें उनकी कविता "स्ट्रीट की लड़कियाँ" खूब पसंद की गयी. फिर मैंने कोलंबिया विश्वविद्यालय में हिंदी पढ़ाने का कार्य शुरू किया और 2001 में कश्मीर पर केंद्रित "यह कश्मीर है" काव्य-संग्रह का संपादन किया. यह हिंदी साहित्य का पहला काव्य-संग्रह है जो सिर्फ कश्मीर पर केंद्रित है. यह बात, मुझे कमलेश्वर जी तथा असमिया लेखिका इंदिरा गोस्वामी ने कही जब वे हिंदी सम्मेलन में भाग लेने न्यूयॉर्क आये थे, जिसका उद्घाटन, प्रधानमंत्री अटल बिहारी वाजपेई ने किया था. उस संग्रह में

कल्पना की बहुत ही संवेदनशील कविताएं थीं, जो उन्होंने जम्मू प्रवास के दौरान "कुपवाड़ा से भागे वे लोग" शीर्षक के तहत लिखी थीं. उन कविताओं को पढ़ कर आपको आज के 2021 में बनी फिल्म "कश्मीर फाइल्स" की याद आ जाएगी.

तत्पश्चात मैंने अमेरिका में और कई काव्य-संग्रहों का संपादन किया जिसमें कल्पना की हिंदी कविताएं शामिल थीं. इस दरमियान वह "न्यूयॉर्क फिल्म अकादमी" से ग्रेजुएशन के बाद हॉलीवुड में फ़िल्में बना रही थी, और मुझे उनकी पुरस्कृत फिल्म "गर्ल विथ एन एक्सेंट" को देखने का मौका मिला. उन्होंने हार्वर्ड यूनिवर्सिटी (Harvard X) से Buddhism Through its Scripture का भी अध्ययन किया और "लाइफ एंड लेजेंड्स" तथा "हिंदी लिटरेचर टुडे" नामक पत्रिकाओं की प्रवर्तिका और संपादिका के रूप में हिंदी और अंग्रेजी साहित्य में योगदान करती रहीं.

कल्पना सिंह एक ऐसी कवयित्री हैं जो सिर्फ नाम से कल्पना नहीं हैं, कल्पनायें उनके अंदर पल-पल तरंगित होती हैं और उनका संवेदनशील मन जो भी अनुभव करता है, उसे काग़ज़ पर उतार देता है. दो संस्कृतियों के बीच अपनी सांसों का बंटवारा वह किस तरह करती हैं वह इस कविता संग्रह "जो तुम हो वही हूँ मैं" में सर्वत्र दिखाई देता है.

जागने सोने की तरह दो संस्कृतियों का संघर्ष उन्हें निरंतर चक्की में पीसता है. जब वह भारत में होती हैं, उन्हें अलग तरीके से स्वीकार किया जाता है, और अमेरिका में रहते हुए उन्हें अलग तरीके से स्वीकार किया जाता है. पर वह तो वही हैं, जो थीं, और जो हैं. अपने शहर का भूगोल, फल्गु का तट, गांव, मातृभाषा, त्यौहार, किसान परिवार के संस्कार आदि का अहसास उनकी कविताओं में ढलते हैं. 'तत्त्वमसि' के एकत्व बोध की बात उनकी कविताओं में झलकती है, जो उन्हें मानव ही नहीं सृष्टि की हर वस्तु के साथ बांधती है. इस संग्रह में पेड़ पर लिखी उनकी दस कविताएँ इसका उदाहरण हैं. सृष्टि के साथ रागात्मकता का संबंध कवयित्री की संवेदनशीलता को दर्शाता है. वे लिखती हैं —

*जाने से पहले*
*वह सौंप गया मुझे*
*अपनी छांव,*

चिड़ियों को उनके
घोंसलों के लिए
तिनके और पत्ते,

और धरती की रूखी हथेली में रख गया
अपने मन में
सदियों से छुपा एक बीज...

और उस बीज में
जीवन मृत्यु के गूढ़ रहस्य,
और अपनी आंखों की तरलता...

~~~~~

क्या मेरे सामने पेड़ का कटना
महज एक संयोग था?

या कि पेड़ को था मेरा इंतज़ार?
जैसे मरने से पहले

कोई करता है
अपने संतानों की प्रतीक्षा?

अपनी आखिरी साँस लेने से पहले,
वह सौंप गया मुझे विरासत में

एक महाकाव्य।

अपने आस-पास जो घट रहा है, कल्पना उसे बराबर कविताओं में उकेरती हैं. इस

संग्रह में "दंगाई" एक लम्बी कविता है, जिसमें दंगाई कौन है, यह बात बड़ी सादगी और आक्रोश से कहती हैं और पूछती है, आखिर कौन है यह दंगाई? कहाँ रहता है?

*"दंगाइयों का जन्म कैसे होता है*
*यह माएं नहीं जानतीं।"*

इस कविता में राष्ट्रीय राजनीति और अंतर्राष्ट्रीय परिदृश्य का चित्रण है, जो चिंता का विषय है. कोरोना महामारी पर भी कल्पना ने यथार्थ की कूँची चलाई है. इस संग्रह में अलग-अलग विषयों पर अनेक सुंदर कविताएँ हैं.

अपनी एक कविता में वह कहती हैं — "यात्री हूँ मैं प्रवासी नहीं" अमेरिका में रहते हुए भी, जब देर रात को वह घर लौटी हैं तो अपने घर का दरवाज़ा पूरब में और खिड़कियाँ पश्चिम में पाती हैं. यह एक ऐसा दर्द है, जो घर से उखड़ा, प्रदेश में बसा हर व्यक्ति महसूस करता है. इस संग्रह से "मेरा देश" नाम की दस कविताएँ उल्लेखनीय हैं.

दिल में बसा भारत उन्हें कैसे जिलाये रखता है, उसे "अधिकार" कविता में देखा जा सकता है —

*मेरी धरती से जुड़ी मेरी नाल*
*अब भी करती है मेरा पोषण।*

*उसे काटने का अधिकार*
*आपको किसने दिया?*

कैसी तड़प है!! वतन वापसी भी कितनी मुश्किल! "धरती से उखड़ा इंसान" कविता में, विदेश में रहने से व्यवहार में आए परिवर्तन से मां भी स्वदेश आने से रोकती है और कहती हैं —

*नहीं, पड़ी रहो वहीं, जहां हो अभी।*
*....तुम्हारे उच्चारण और विचार*
*तुम्हारे प्रवासी होने की गवाही देते हैं।*
*अपनी धरती से उखड़ा इंसान*
*कभी वापस लौट कर नहीं आता।*

"रामायण" कविता में सीतरमवा के माध्यम से एक लम्बा, जिया हुआ बचपन चित्रित किया गया है –

*सारी रात मेरे सपने में वह*
*पहसी लेन की अंधेरी गलियों में*
*अपनी टूटी साइकिल चलाता रहा,*

*और मैं भागती रही उसके पीछे*
*पुकारते हुए उसका नाम,*
*सीताराम! सीताराम! ऐ सीताराम...!*

कवयित्री ने संघर्ष कर जीवन में सफलता हासिल की है, उसके बावजूद एकाकीपन, बेचैनी, और अपनों की बेरुख़ी उसे परेशान किये हुए है. कभी-कभी वह ऐसा महसूस करती हैं कि सारे द्वार बंद हो गए हैं, रिश्ते भी दूर हो गए हैं. पर सफलता का सत्य यह भी है कि जितनी सफलता व्यक्ति को मिलती है, वह उतना ही अकेला होता चला जाता है, घर परिवार में भी, और कार्य-संसार में भी.

पर कल्पना एक जुझारु और सख़्त-जान व्यक्तित्व हैं, उन्हें स्वीकार किया ही जाएगा. उनकी कविताएँ नासा के यान में चन्द्रमा तक पहुंची हैं, यह हम सबके लिए फ़ख़्र की बात है. अमेरिका की धरती पर हिंदी में कविता लिखना ही बड़ी बात है, और कल्पना की कविताएँ चाँद तक पहुँच गयी हैं, यह हिंदी के लिए गौरव की बात है. भारत का गौरव हैं वह. "चाँद का पैवंद" उनका प्रथम काव्य-संग्रह रहा है. चाँद उन्हें प्रिय है, पर आज जब उनकी कविताओं और फिल्म ने चाँद की उड़ान भर ली है तो

उनकी इस तरक्की को देखने के लिए, वे लोग उनके साथ नहीं हैं, जिन्हें वह चाहती थीं. विशेष रुप से उनके माता-पिता, जो अब नहीं रहे.

इस संग्रह में "हिंदी" शीर्षक से एक कविता है, जिसमें वे लिखती हैं —

*मैं अक्सर अपनी सोच*
*और कविताएँ, अपनी दीवार पर*
*हिंदी में साझा करती हूँ,*

*यह जानते हुए भी कि*
*मेरे अहिंदी भाषी, विदेशी मित्र*
*उसे नहीं पढ़ पायेंगे।*

*मैं फिर भी करती हूँ यह,*
*ताकि दुनिया को यह पता तो चले*
*कि मेरी भाषा कितनी ख़ूबसूरत दिखती है!*

मैं इन सुन्दर कविताओं का गुलदस्ता अपनी भाषा हिंदी को अर्पित करने वाली कवयित्री को साधुवाद देती हूँ, शुभकामनाएँ देती हूँ कि वह और भी सुंदर रचनाएँ लिखें, और पश्चिम में पूरब का परचम लहराएं. पाठक उसे खूब सराहें. हिंदी साहित्य में उनकी रचनाओं का योग्य मूल्यांकन हो.

शुभकामनाओं के साथ,

डॉ. अंजना संधीर

अहमदाबाद
२३ सितम्बर २०२२

यात्री हूँ मैं, प्रवासी नहीं: जो तुम हो वही हूँ मैं

ख़ुद के बारे में, तथा अपनी रचनाओं के बारे में लिखना एक कठिन काम है। स्वयं के बारे में लिखने के लिए अपनी क्षमता और भेद्यता दोनों की स्वीकारोक्ति आवश्यक है, और अपनी कृतियों के बारे में कुछ कहने के लिए विनम्रता की सख़्त जरूरत है। अगर ऐसा नहीं है तो हम अपनी बात ईमानदारी से नहीं रख सकते, और हमारी रचनाएं दूसरों के साथ अपना सरोकार नहीं बना सकतीं। पाठक कृत्रिमता को पहचानते हैं, और वही हमारी रचनाओं का सही मूल्यांकन भी करते हैं।

मेरे लिए उन चीजों के बारे में भी बातें करना एक चुनौती है, जो स्वभाव से क्षणिक हैं। हालांकि, गहराई में उतर कर देखें तो जीवन की लगभग सारी चीजें क्षणभंगुर हैं। परिवर्तनशीलता ही एकमात्र सत्य है, जो अपरिवर्तनीय है। अन्य सभी सत्य परिवर्तनशील हैं, क्योंकि वे आत्मपरक हैं, और समय तथा स्थान के साथ बदलते रहते हैं। मैं आज प्रासंगिक हूँ, पर शायद कल नहीं भी हो सकती हूँ, वैसे ही हमारी रचनाएँ भी। जो चीज़ें हमारी नज़र में महत्वपूर्ण हैं, वह दूसरों के लिए शायद उतनी महत्वपूर्ण नहीं भी हो सकती हैं। हर रचना सामान नहीं होती, और हर रचना अपने आप में अलग संभावनाओं को समेट कर चलती है। वह पृथ्वी के एक कोने में प्रासंगिक हो सकती है तो दूसरे कोने में नहीं भी हो सकती है। अतः वह हमारे सामान्य उद्देश्यों को पूरा कर भी सकती है, और नहीं भी। इसलिए, मैंने जब इस संग्रह की कविताओं के चयन के बारे में सोचा तो लगा कि मुझे उन्हीं विषयों पर ध्यान केंद्रित करना चाहिए जो सार्वभौमिक हैं, और हर काल तथा स्थान में प्रासंगिक हैं— जैसे प्रेम, पीड़ा, प्रकृति, पर्यावरण, मानवता और हमारे साझा मूल्य।

चूंकि मैं तीन दशकों के बाद अपना चौथा हिंदी काव्य-संग्रह प्रकाशित कर रही हूँ, पाठक शायद यह भी जानने के लिए उत्सुक हों कि भारत, जहाँ मैं जन्मी, पली-बढ़ी और शिक्षित हुई, उसकी मिट्टी से दूर, विदेश में रहते हुए मैंने अपनी मातृभाषा में कविताओं को कैसे लिखा, इस पुस्तक को लिखने और प्रकाशित करने में मेरे सामने क्या चुनौतियाँ आईं, मैंने इन दशकों में और क्या-क्या लिखा, या क्या नहीं लिख पाई, वग़ैरह, वग़ैरह। इन प्रश्नों का उत्तर देने के लिए मैं एक और पुस्तक लिख सकती हूँ। अतः, संक्षेप में मैं सिर्फ इतना कहना चाहती हूँ कि विस्थापन, चाहे वह अच्छे, बुरे

किसी भी कारण से क्यों न हो, परिवेश में परिवर्तन होने के कारण, हमारे सोचने-समझने, महसूस करने, और लेखन के तरीके को गहराई से प्रभावित करता है, जो मेरी रचनाओं में स्पष्ट है।

तीन दशक पहले जब मैं अमेरिका आई, मेरे परिवार में कोई भी हिंदी नहीं बोलता था, सिवाय मेरे। मैंने महसूस किया कि हालांकि मैं अपनी मातृभाषा में सोच तो सकती हूँ, पर अक्सर कई दिन, महीने, यहाँ तक कि वर्षों नहीं बोल पाती। क्योंकि, विदेश में मेरी भाषा न तो बोली जाती है, न सुनी या समझी जाती है। यहाँ तक कि अमेरिका में मिलने वाला हर भारतीय हिंदी जाने और बोले, यह भी जरूरी नहीं। फ़ोन पर माता-पिता या परिवार जनों से हिंदी में बाते करना एक विशेष अनुभव बन कर रह गया, और हिंदी के सदाबहार वृक्ष पर बारहो मास फूलों की तरह खिलने वाली मेरी कविताएं, सिर्फ बरसात और भूले-बिसरे बसंत की मोहताज हो कर रह गयीं।

यहाँ मैं कुछ ऐसे प्रश्नों के भी उत्तर देना चाहती हूँ जो मुझसे सीधे नहीं पूछे गए हैं, लेकिन वे हमेशा मौजूद रहे हैं। मैं उन कही और अनकही बातों पर भी दो शब्द कहना चाहूंगी जो मन की गहराइयों में जाकर धंस जाती हैं, जिन्हें न तो स्वीकार करना सहज होता है, ना ही उन्हें अस्वीकार करने का कोई विकल्प प्रदान किया जाता है। पर हर चीज़ का विकल्प है, और उन विकल्पों को ढूंढना जरूरी है।

अतः, सबसे पहले मैं अपने पाठक-बंधुओं और माननीय आलोचकों से यह निवेदन करना चाहूंगी कि वे इस पुस्तक को अच्छा या बुरा जो करार देना हो दें, पर इस पर "प्रवासी साहित्य" का ठप्पा न लगाएं, ना ही मुझे "प्रवासी साहित्यकार" का दर्जा दें। क्योंकि साहित्य, बस साहित्य होता है, और यह मूलतः सार्वभौमिक होता है। यदि विदेश में बसे भारतीय वैज्ञानिकों, डॉक्टरों, और इंजीनियरों द्वारा की गई वैज्ञानिक खोजों को "प्रवासी वैज्ञानिक आविष्कार," "प्रवासी इंजीनियरिंग," या "प्रवासी चिकित्सा विज्ञान" जैसे वर्गीकरण के तहत नहीं रखा जा सकता तो विदेश में लिखे गए भारतीय लेखकों के साहित्य का भी भौगोलिक वर्गीकरण नहीं किया जाना चाहिए। अगर वायु के प्रवाह को सीमाओं में बांधा नहीं जा सकता, और आकाश, सूरज, चाँद और सितारों के लिए सीमाएँ तय नहीं की जा सकतीं, तो व्यक्ति, उसकी मानव-चेतना और रचनात्मकता को भी प्रतिबंधित कैसे किया जा सकता है?

क्वांटम भौतिकी के अनुसार, सूक्ष्म स्तर पर, हम एक ही समय में एक से अधिक स्थानों पर मौजूद हो सकते हैं, भले ही हम शारीरिक रूप से कहीं भी स्थित हों। कला, संगीत और साहित्य की कोई सीमा नहीं होती, इनका वर्गीकरण कर, और इनके दायरे को सीमित कर, उनके महत्व को कम नहीं किया जाना चाहिए।

मैं इस धारणा से सहमत नहीं हूँ कि विदेशों में लिखा जा रहा हिंदी-साहित्य भारत की वास्तविक परिस्थितियों से कटा होता है, और इसलिए इसे हिंदी की मुख्यधारा का साहित्य नहीं माना जा सकता। यह मेरा व्यक्तिगत अनुभव और अवलोकन है कि जब हम अपना देश छोड़ते हैं तो उसका एक हिस्सा अपने साथ ले आते हैं। चाहे हम कहीं भी जाएं, उसे संजोकर रखते हैं, वैसे ही जैसे हम अपनी सबसे कीमती चीजों की रक्षा करते हैं। दूरी के बावजूद, भारत में क्या हो रहा है, और वहाँ क्या लिखा और पढ़ा जा रहा है, वह हमारी पहुँच और समझ से बाहर नहीं है। माता-पिता जी की तरफ का पूरा परिवार भारत में ही रहा। हम भारत आते-जाते रहे और हमने वहाँ अपना आश्रय बनाए रखा, इस उम्मीद के साथ कि एक दिन हम स्वदेश वापस लौटेंगे। देश भर में फैले अपने दोस्तों और परिवारजनों के साथ हमारे संबंध पहले की तरह ही मजबूत बने रहे। उनके माध्यम से हमें हमेशा यह जानने को मिला कि देश और घर में क्या हो रहा है। देश के सामाजिक और राजनीतिक मामलों पर उनकी निष्पक्ष रिपोर्ट हमें हमेशा मिलती रही। प्रौद्योगिकी के विकास, टीवी चैनल्स और सोशल मीडिया प्लेटफॉर्म्स के उदय ने भी सूचनाओं के कई द्वार खोल दिए। मुझे ऐसा कभी अहसास नहीं हुआ कि मैं भारत की जमीनी हकीकत से कटी हूँ, इसलिए कि मैं विदेश में हूँ। अतः हिंदी में मैंने जो कुछ भी लिखा, मेरे लिए वह हिंदी साहित्य की मुख्यधारा का ही एक हिस्सा है। जैसे एक नदी कई धाराओं में विभाजित होती है, और प्रत्येक धारा अलग दिशाओं में बहने के कारण विभिन्न प्रदेशों की रेत और मिट्टी को साथ लेकर चलती है, इसके बावजूद अपना पानी मुख्य स्त्रोत से ही प्राप्त करती है, उसी तरह से मेरी रचनाधर्मिता भी अपने उद्गम स्त्रोत से ही अपना जीवन-जल प्राप्त करती रही, चाहे मैंने हिंदी में लिखा या अंग्रेजी में।

इस संदर्भ में मुझे दो घटनाएं याद आती हैं। 2019 में मुझे साहित्य-अकादमी में कविता-पाठ के लिए आमंत्रित किया गया। पर, मेरे पूर्व निवेदन के बावजूद साहित्य-अकादमी ने मेरे काव्य-पाठ को "प्रवासी-मंच" के बैनर के तहत आयोजित

किया। मैं एक अंतर्राष्ट्रीय कवि हूँ; 30 साल से ऊपर हिंदी और अंग्रेजी दोनों भाषाओं में सामान रूप से और निरंतर लिख रही हूँ; दोनों भाषाओं में मेरी कई पुस्तकें प्रकाशित हो चुकी हैं; उन्हें राष्ट्रीय और अंतर्राष्ट्रीय स्तर पर महत्वपूर्ण सम्मान भी मिल चुके हैं; और करीब बीस से ऊपर भाषाओं में मेरी कविताओं का अनुवाद किया जा चुका है (यह मैं अपनी उपलब्धियां गिनाने के लिए नहीं कह रही बल्कि, अपने आप को एक अंतर्राष्ट्रीय कवि कहने का कारण बता रही हूँ), पर प्रवासी-कवि के रूप में मेरी मेज़बानी से श्रोताओं की संख्या सीमित हो कर रह गई। क्योंकि, प्रवासी कवियों में न तो हिंदी के दिग्गज़ों की दिलचस्पी थी, न ही उन भारतीय साहित्यकारों को थी जो अंग्रेज़ी में लिख रहे थे। अपूर्व नारायण और मंगलेश डबराल इस आयोजन के साक्षी थे। भारत में पाठक विदेशी भाषाओं के कवियों का अनुवाद पढ़ने के लिए तो इच्छुक हैं, पर विदेशों में लिख रहे हिंदी के या अन्य भारतीय भाषाओं के कवियों की कविताओं को कितने लोग पढ़ना या सुनना चाहते हैं?

दूसरा उदाहरण भी भारत की उसी यात्रा के दौरान का है। एक प्रतिष्ठित हिंदी पत्रिका ने मुझे पश्चिम में अपने अनुभवों से प्रेरित एक कहानी भेजने के लिए आमंत्रित किया। हालांकि मैंने हिंदी कहानियाँ लिखी हैं, जो नब्बे के दशक में "हंस" के अलावा भारत की कुछ और पत्रिकाओं में छपीं, उन्हें सराहना भी मिली, पर मैं अपने आप को मुख्यतः एक कवि मानती हूँ, अतः अपनी कहानी के बजाए मैंने कुछ नई कविताओं को भेजने का प्रस्ताव रखा। पर संपादक मित्र ने कहा कि "हिंदी कविता अब काफी आगे निकल चुकी है," और सुझाव दिया कि मैं एक कहानी ही भेजूं। मैंने निमंत्रण के लिए उनका धन्यवाद ज्ञापन किया, पर यह एक कड़वी सच्चाई थी—विदेशों में लिखे गए हिंदी के उपन्यास और कहानियों को तो लोग फिर भी दिलचस्पी से पढ़ लेते हैं, पर वहां लिखी जा रही हिंदी कविता को लोग शायद ही पढ़ते हैं। तो क्या, विदेशों में अपनी भाषा का कवि होना चुक जाना है? मुझे पूरा विश्वास है कि इस सवाल का जवाब इस पुस्तक को पढ़ने वाले पाठक और समीक्षक जरूर दे सकेंगे।

अमेरिका जाने से पहले, मेरी कृतियाँ भारत की सर्वोच्च साहित्यिक-पत्रिकाओं में प्रकाशित होती रहीं। मैं इसे अपना सौभाग्य मानती हूँ कि उन्हें अपने समय में महत्वपूर्ण पुरस्कार और सम्मान भी मिले, और मुझे अनेक वरिष्ठ लेखकों का प्रोत्साहन मिला। जानकीवल्लभ शास्त्री, मोहनलाल महतो वियोगी, अमृता प्रीतम,

राजेंद्र यादव, गुलज़ार, धर्मवीर भारती, राजेंद्र अवस्थी, केदारनाथ सिंह, उदय प्रकश, शहरयार, ताराचरण रस्तोगी, मज़हर इमाम, रामलाल, और अपने शहर गया की गरिमा बढ़ने वाले कलाम हैदरी, डॉ. सुरेंद्र चौधरी, रामनरेश पाठक, रामपुकार सिंह राठौर और श्यामदत्त मिश्र का आशीर्वाद मुझे मिला। पर आज हिंदी पत्र-पत्रिकाओं के नए संपादक रचनाओं को बिना पढ़े अस्वीकृत कर देते हैं। हालांकि, ज्ञानरंजन, विश्वनाथ प्रसाद तिवारी, अंजना संधीर आदि लेखक और संपादक मुझे प्रकाशित करते रहे। हरे प्रकाश उपाध्याय, विनोद मिश्रा, सुमन सिंह, इला प्रसाद, खुर्शीद हयात आदि ने भी मेरी रचनाओं को प्रकाशित किया। अजित राय और वागेश्वरी देसवाल ने मुझे राष्ट्रीय दूरदर्शन पर साक्षात्कार और कविता पाठ के लिए आमंत्रित किया तो प्रमोद झा ने रांची दूरदर्शन पर। विश्वनाथ प्रसाद तिवारी, लीलाधर मंडलोई, अंजना संधीर और कुमार मुकुल का भी इस पुस्तक को आपके सामने लाने में भरपूर सहयोग मिला। मैं इन सब का हार्दिक आभार प्रकट करती हूँ।

पर दूसरी ओर "प्रवासी लेखन" के लेबल ने विदेशों में रहने वाले लेखकों के काम को हाशिये पर रखा है, और उन्हें उनके सही मूल्यांकन से वंचित किया है। भारत में ज्यादातर लोगों की यह भ्रांत-धारणा है कि विदेशों में बसने वाले सभी लोग पूंजीवादी मानसिकता के हो जाते हैं। यह भ्रांत-धारणा बुद्धिजीवियों के बीच ज्यादा है। उनकी नज़र में पूंजीवादी देशों में बसने वाले लोग दुनिया में वह क्रांति नहीं ला सकते, जिसकी जरूरत है। वैचारिक मतभेद इतने गहरे हैं कि उनका समाधान नहीं दिखता। आप विचारों में कितने ही प्रगतशील क्यों न हों, अगर लाल सलाम नहीं ठोका तो आप ख़ेमे से बाहर। देश-प्रेम कुछ ज्यादा दिखाया तो तुरंत घोर राष्ट्रवादी करार! "तिब्बत बुलेटिन" में अपनी कविताएँ प्रकाशित करने की वजह से मेरी आलोचना की गई। उसके बाद तो कुछ लोगों ने मुझे जनवादी और प्रगतिशील माना ही नहीं। व्यक्तिगत प्रतिस्पर्धा और ईर्ष्या ने भी अवसरों से वंचित किया। 'एक व्यक्ति को पूरब और पश्चिम दोनों ही दुनिया की सर्वश्रेष्ठ स्थितियाँ कैसे प्राप्त हो सकती हैं? ऐसे व्यक्ति को दरकिनार किया जाना चाहिए!' यह मनोवृति अपने लोगों के बीच पूरब और पच्छिम दोनों गोलार्द्धों में देखने को मिलीं। मेरी कविताओं और पांडुलिपियों को भारत में संपादकों और प्रकाशकों के द्वारा बार-बार अस्वीकार किया गया, और जिन्होंने मेरी रचनाओं को प्रकाशित करने में रुचि दिखाई, उन्होंने आर्थिक भुगतान या सदस्यता की मांग की। मुझे बताया गया कि NRI लेखकों

ने पुरस्कारों से लेकर बड़े-बड़े संपादकों और प्रकाशकों तक को खरीद कर अपनी प्रतिष्ठा खूब गिराई है—उन्हें पैसा दो, और वे तुम्हें प्रकाशित कर देंगे—उन्हें पैसा दो, और वे तुम्हें सम्मानित कर देंगे। पर मेरे लिए यह पैसे की नहीं, मेरे कवि के लिए आत्म-सम्मान की बात थी। मैं संपादकों और प्रकाशकों को पैसे देकर अपनी कविताएं और पुस्तकें प्रकाशित नहीं करवाना चाहती थी, ना ही कोई पुरस्कार पाना चाहती थी। और धीरे-धीरे, अपनी भाषा, जिसने मुझे कवि के रूप में एक पहचान दी, उसमे लिखने और प्रकाशित करने की मेरी इच्छा कम होती चली गई। "जो तुम हो वही हूँ मैं" के एक लम्बे अंतराल के बाद छपने का कारण भी यही है। इन अनुभवों से मुझे कई बार तो ऐसा लगा कि मैंने भारत नहीं छोड़ा, बल्कि भारत मुझसे छीन लिया गया।

पर आज अपने नए काव्य-संग्रह को अपनी मातृभूमि भारत को समर्पित कर के मुझे जो ख़ुशी हो रही है, उसने मुझे अपने घाटे से हुए हर शिकवे और दर्द से ऊपर कर दिया है। कटु और मृदु दोनों अनुभवों ने मुझे एक नई दृष्टि, शक्ति और अपनी चुनी हुई राह पर चलने की प्रेरणा दी है। "यात्री हूँ मैं, प्रवासी नहीं।" जो तुम हो वही हूँ मैं।

~ कल्पना सिंह

१० अक्टूबर २०२४

## जो तुम हो वही हूँ मैं

मैं अरण्य का एक पेड़।
मेरी जड़ें पूरी पृथ्वी का करती हैं आलिंगन।
मेरे जन्म पर दुनिया के तमाम जंगलों ने गाये थे सोहर

आकाश ने सभी ग्रहों और नक्षत्रों को दी थी एक दावत,
पृथ्वी ने नदियों, पहाड़ों और समुद्रों के पूजे थे पैर
और हवाओं ने सभी दिशाओं को टेका था माथा।

पर एक दिन मेरे गिरने की आवाज़ किसी ने नहीं सुनी।
सदियों तक पृथ्वी रही उदास, मनाती रही मेरा मातम,
पर आज मेरे फिर से उठने पर वह रो पड़ी है ख़ुशी के आंसू

मेरी कथा को सुनकर हाहाकार कर उठी है दुनिया,
पर उल्लास भरा वन नाचता है,
मेरी डालों पर फिर से आ गयीं हैं चिड़ियाँ

पर ग्रह और नक्षत्र भूल चुके हैं कि मैं हूँ कौन
पहाड़ों और नदियों की भी स्मृतियाँ क्षीण
पर लौटी हूँ आज मैं चुकाने को एक ऋण।

जो मुझे नहीं जानते, नहीं पहचानते,
मेरे तने को खुरच कर देखना,
जो तुम हो, वही हूँ मैं।

# एक गुस्ताख़ी

एक बहती नदी का कोई दायरा नहीं।
मत करो उसे बांधने का प्रयास,
मत करो कोशिश एक बक्से में उसे बंद करने की।

तुम्हारे वाद-प्रतिवाद से उसे कुछ भी लेना देना नहीं,
तुम्हारे तर्क-वितर्क के दोनों तटों के बीच से वह
बहती हुई निकल जायेगी।

उसे अपनी लाल, पीली, नीली
और हरी पताकाओं के नीचे नहीं ढूँढना,
उसकी पताका, धरती के ऊपर लहराता आसमान।

उसके पानी का कोई रंग नहीं,
उसके प्यासों का कोई वर्ण नहीं,
एक गुस्ताख़ी है वह, बिना किसी क्षमायाचना के,

बिना किसी नारे की एक क्रांति।
उसकी निरपेक्षता पर कोई बाज़ी
तुम कभी मत लगाना, हार जाओगे।

उसे आख्यानों में, या किताबों के
बड़े-बड़े शब्दों के बीच तुम कभी नहीं ढूंढना,
ना ही किसी नेता के भाषण में,

या दरबार में पढ़ी जाने वाली किसी कविता में,
खामोश बहती नदी है वह,
बिना शब्दों के लिखी गयी एक कविता।

एक बादल है वह,
जिसका कोई देश नहीं,
पर धरती और आकाश दोनों ही उसके अपने।

किसी पर्वत की चोटी पर जमी बर्फ़ की एक परत है वह,
सूरज की लौ से पिघल जाएगी।
उसे कोई नाम या स्थान देने की चिंता तुम कभी मत करना

कहीं भी रह लेगी वह,
बीज में छुपी हरियाली की तरह,
रात की आँखों में उगती हुई एक भोर की तरह।

# दंगाई

दंगाई, दंगाई, दंगाई!
कौन है यह दंगाई?
कोई कहता है —

उसके हाथ मे होता है लोटा
और मुँह में पान।
तो कोई कहता है —

उसके मुँह में होता है राम
और बगल में छुरी।
हे राम! हे राम! हे राम!

यह दंगाई आखिर रहता कहां है?
कोई कहता है —
वह मीनारों में छुप कर रहता है

और वहीं से निशाना साधता है।
तो कोई कहता है —
वह इतिहास के पन्नों में सोता है

और जब जागता है, मीनारों को ढाहता है।
या ख़ुदा! या ख़ुदा! या ख़ुदा!
यह दंगाई आता कहाँ से है?

कोई कहता है —
वह आता है सीमा के पार से
और रखता है खंजर और ढाल।

सत श्री अकाल! सत श्री अकाल! सत श्री अकाल!
पर ध्यानमग्न कोई कहता है —
वह सबके मन में रहता है

और दिन रात जलता है
अज्ञानता और प्रतिशोध की अग्नि में।
नमो बुद्धाय! नमो बुद्धाय! नमो बुद्धाय!

दंगाइयों का जन्म कैसे होता है?
दंगाइयों का जन्म कैसे होता है
यह माएं नहीं जानतीं।

दंगाई माँ की कोख से पैदा नहीं होते।
वे साम्राज्य और सत्ता पिपासुओं के
वीर्यपात के कीचड़ में गिरने से पैदा होते हैं।

साम्राज्यवादी, सात समुन्दर पार से आते हैं
सातों महाद्वीपों पर अपना डेरा डालते हैं
और इंसानों को बांटते हैं।

ओ मसीहा! ओ मसीहा! ओ मसीहा!
और जो होते हैं सत्ता के भोगी,
देश होता है उनके लिए गधा और वे होते हैं धोबी।

वे स्वर्ग का सुख सात पातालों में छुपकर भोगते हैं,
और पुश्त दर पुश्त जनता पर शासन करते हैं।
हे माँ भारती! हे माँ भारती! हे माँ भारती!

यह दंगाई कैसी भाषा बोलता है?
दंगाइयों की कोई भाषा नहीं होती,
वह इशारों में बातें करता है,

और भ्रमित लोगों को
अपनी उँगलियों पर नचाता है।
उसके इशारों पर नाचने वाली कठपुतलियां

नाना प्रकार के गीत गाती हैं
और मंचों पर चढ़ कर उत्तेजक भाषण देती हैं।
हे माँ शारदे, हे माँ शारदे, हे माँ शारदे !

यह दंगाई आखिर दिखता कैसा है?
दंगाइयों की कोई सूरत नहीं होती,
वह हवा में अदृश्य पिशाचों की तरह डोलता है

और भूत की तरह धरती पर उल्टे पाँव चलता है।
वह शहर के शहर, गांव के गांव, गोद की गोद उजाड़ता है,
और खून की नदियां बहाता है! त्राहिमाम! त्राहिमाम! त्राहिमाम!

दंगाई, मेरे भाई, मेरे घर को छोड़ने का तुम क्या लोगे?

# प्रेत पूजा

दुनिया में बहुतेरे भूत-प्रेत हैं
पर वे उन्हीं को पकड़ते हैं
जिन्हें उनसे डर लगता है।

पर डरना नहीं,
ना ही किसी को डराना।
भूत जैसे आते हैं, वैसे चले भी जाते हैं।

पर एक बार जो डर जाता है,
वह भय के भूत से
कभी मुक्त नहीं होता।

वैसे यह भी सोचने वाली बात है कि
इंसान भूत-प्रेत आखिर बन कैसे जाता है?
क्या भूतों में भी कोई राजा-प्रजा और तानाशाह होता है?

सुना है, जिनकी अकाल मृत्यु होती है,
हिंसा से, सदमे से, या यातना से,
वही बनते हैं भूत-प्रेत।

वही गड़ाते हैं हमारी गर्दन में अपने दांत,
पीते हैं हमारा रक्त। पर हम भूल जाते हैं अपने गुनाह,
शायद इसीलिए अपने देश में हम करते हैं प्रेत पूजा

अमावस की रात एक दिया
हम उनके लिए भी जलाते हैं,
अपनी देहरी पर।

# गांधी के मरणोपरांत

गांधी, कोई उड़ा ले गया तुम्हारे शब्द, हे राम!
कोई चुरा ले गया तुम्हारी बकरी,
कर दिया उसे हलाल

कोई ले गया तुम्हारी लाठी
देश के सीने पर खींचने के लिए
विभाजन की कुछ और रेखाएँ

कोई ले गया तुम्हारी चप्पल
कर दिया उसे नीलाम! दिशाविहीन
भागता है तुम्हारा देश नंगे पाँव,

गांधी, कोई ले गया
तुम्हारे गांव, तुम्हारी गीता,
तुम्हारे राम की सीता!

कोई ले गया तुम्हारा चरखा, तुम्हारी सूत,
देश के गले में फेंकी जाने वाली
एक रस्सी को बुनने,

कोई फाड़ ले गया तुम्हारी किताबों का
एक-एक पन्ना, लगाने को आग,
तुम्हारे देश के जले भाग्य!

गांधी, कोई ले गया
तुम्हारा गमछा, तुम्हारी धोती
देश के कफ़न के लिए,

उसकी आत्मा के तर्पण के लिए
कोई ले गया तुम्हारी
साबरमती!

## सर्दियों की धूप

चाय के प्याले में
गुनगुनी धूप
बचपन का आंगन।

महीन धागों सी उठती भाप की लकीरें
उड़ाती हैं गुड्डियाँ
यादों के फिरोज़ी आसमान में।

कटी पतंगों के पीछे
भागने को चाहता है दिल
पर पैर थम जाते हैं,

मेरे देश के सारे रास्ते अब उलझे,
सारी गलियां गडमड,
मेरी छत की सीढ़ियां भी कोई ले गया।

# एक चौथी सदी

एक चौथी सदी कितनी लम्बी?
एक गहरी सांस लेने
और छोड़ने जितनी।

## आधी सदी

आधी सदी के अंश
मेरी नंगी पीठ पर
समय के नाग के दंश।

पर नीलकंठ की तरह,
मैंने जहर को अपनी शिराओं में
प्रवाहित होने से नहीं रोका,
ना ही मैंने नाग को टोका।

अपनी लाल-लाल आंखों से घूरता वह
मुझे जिंदा देख हैरान है!
खामख्वाह बर्बाद किया उसने
अपना जहर मुझ पर

जो कर जाता किसी और पर काम।
वह आया और मुँह बिचका कर चला गया
बैजनाथ धाम।

## सांप और शिव

बाबा धाम में विषधर ने
मेरे विरुद्ध भोले नाथ से
खूब लगाई गुहार।

बेचैन था वह कि उसकी फुफकार से
क्यों नहीं हुआ मेरा बंटाधार।
पर शिव अंतर्यामी थे,

लगाई उन्होंने भी वहीं उसे
दो फटकार और बोले
एक अच्छा नाग

चार घर छोड़ कर ही डंसता है,
वर्ना दुनिया का हर आदमी
उसपर हँसता है।

मर्यादाविहीन सर्प
सुना है वहां से भी भागा,
कैसा अभागा!

## नदी गाथा

इस शहर के हाशिये पर
हुआ करती थी एक नदी,
वह नदी अब कहाँ गयी?
किसी श्राप से लुप्त हो गई या
देवताओं के आशीर्वाद से देव लोक चली गयी?

कुछ लोगों का कहना है कि
नदी अब भी बहती है रेत के नीचे
सतत, संजीदा, सजग,
और उभरती है जब-तब
किसी गुजरते हुए कारवां की आवाज़ पर,

तो कुछ लोगों का कहना है कि
नदी सिर्फ एक मृगतृष्णा है,
पर नदी जो भी हो,
जैसी भी हो, जहाँ भी हो,
आज भी है इस शहर का सुरूर

उसका वतन, आज भी है नदी का ग़ुरूर।

# थाती

उसने मुझे प्रेम दिया,
फिर वापस लौटा लिया।
वह प्रेम नहीं, थाती थी।
मैंने प्रेम नहीं पाया,
मैंने बस प्रेम की रक्षा की है।

## महाकाव्य

बिना प्रेम पाए जो इंसान मर जाता है,
वह मर कर प्रेम बन जाता है।

वह प्रेम — सूरज की रोशनी और
चिड़ियों की चहचहाहट में फूट पड़ता है।

वह खेत से दाने बनकर घर-घर लौटता है,
और आकाश से वर्षा की बूंदें बनकर सारी पृथ्वी के लिए।

वह लौटता है एक दिन, किसी कवि की कलम में —
रोशनाई की तरह, और बन जाता है, एक महाकाव्य।

# प्रेम

एक उम्र कम है
जितना प्रेम
मैं करना चाहती हूँ
दुनिया से।

धरती के
तमाम पेड़ों के
सारे पत्ते भी कम,

जितने प्रेम-पत्र मैं उनपर
अपने जाने से पहले
लिखना चाहती हूँ
पृथ्वी को।

## प्रकाश पर्व

कुछ घरौंदे करते रहे
दीयों का इंतज़ार।
दिया है तो बाती नहीं,
बाती है तो तेल नहीं,

मैंने घरौंदों से कहा,
दिल छोटा मत कर
मैं अभी जाती हूँ,
और रौशनी ढूंढ के लाती हूँ।

# त्योहार

त्योहार आते हैं,
जैसे दूरदराज के गांवों और शहरों से
आते हैं अतिथि कुछ दिनों के लिए, फिर चले जाते हैं।

वे घर के अंदर पैर रखने से पहले
हौले-हौले देते हैं दस्तक,
और दरवाजा खोलते ही मन को उल्लास से भर देते हैं।

वे हमारे सजे-सँवरे घर की करते हैं प्रशंसा,
हमारे स्वागत से होते हैं भावविभोर,
फिर हाथों में एक शगुन रखकर वापस चले जाते हैं।

पर उम्र के साथ मेरा घर
अब पहले की तरह व्यवस्थित नहीं होता।
त्योहारों की दस्तक से मेरा दिल धड़कता है,

और इससे पहले कि उनके स्वागत के लिए
मेरे पाँव दरवाज़े तक पहुंचते हैं, वे चले जाते हैं,
मेरी देहरी पर रख कर एक कविता।

## क्षमा याचना

मैं त्योहारों से करती हूँ क्षमा-याचना,
मैं जब भी उनके स्वागत के लिए
अपने घर में उपस्थित नहीं होती।

मेरा अनमना मन अनायास निकल पड़ता है,
वसंत में पहाड़ों की ओर,
गर्मी के दिनों में किसी नदी की तरफ,

और पतझड़ में किसी वन की व्यथा सुनने।
सर्दियों में रजाई ओढ़कर मैं, बर्फ़ पर रहने वाले
एक सफ़ेद भालू की तरह सोती हूँ,

और साल खत्म होने पर ही उठती हूँ।
पर त्योहारों का दिल बड़ा उदार होता है,
वे किसी भी बात का बुरा नहीं मानते,

ना ही अपने मन में रखते हैं कोई क्लेश।
वे फिर से आने का वायदा करके चले जाते हैं,
मेरी मुट्ठी में पूरे तीन सौ पैंसठ दिन रखकर।

## अगली बार जब त्योहार आएंगे

अगली बार जब त्योहार आएंगे
हम खूब मनाएंगे।

पतझड़ के रंगीन पत्तों से अपने घर को सजाएंगे,
और मंद आंच पर तलेंगे पूड़ी और मालपुए,
जैसे स्मृति के ताल में तैरते काग़ज़ के नाव खिले-खिले।

हम अपने स्वजनों की जोहेंगे बाट और पूर्वजों का करेंगे आवाहन।
उनके होठों से छुए प्यालों को खुशबूदार शर्बतों से भर देंगे लबालब,
और अपने दिल को एक दस्तरख़्वान में बदल देंगे।

ऐन मौके पर बिजली चले जाने पर हम लालटेन जलाएंगे,
नीम अंधेरे में कहेंगे उनसे अपने दिल की बातें,
बीते दिनों को याद करके हम ख़ुशी के आँसू रोयेंगे,

कहकहे भी लगाएंगे,
और आसमान का सीना गदगद कर देंगे।

# पेड़

(१)

न रोया,
न गिड़गिड़ाया,
ना शिकायत की,
चुपचाप कट गया, वह पेड़।

# पेड़

(२)

उसका ख़ून सफ़ेद था
हमने छीन ली उसकी लाली,
उसके पत्तों की हरियाली।

# पेड़

(३)


जाने से पहले
वह सौंप गया मुझे
अपनी छाँव,

चिड़ियों को
उनके घोंसलों के लिए
तिनके और पत्ते,

और धरती की रूखी हथेली में रख गया
अपने मन में
सदियों से छुपा एक बीज,

और उस बीज में
जीवन मृत्यु के गूढ़ रहस्य,
और अपनी आंखों की तरलता।

जिस दिन उन्होंने
उसके तने पर एक बड़ा सा गोल,
लाल टीका लगाया था,

उसे मालूम था,
वे फिर आएंगे,
और उसे ले जायेंगे।

# पेड़

(४)

जब पेड़ों के सामने
कोई पेड़ कटता है,
कैसा लगता है उन्हें?

जब मैंने यह सवाल पेड़ों से पूछा,
जवाब में वे सभी
अपना सिर झुकाए खड़े रहे।

# पेड़

(५)


वे जीत गए
पेड़ परास्त हो गया
सूर्यास्त हो गया।

फिर सभी लोग
अपने-अपने घरों को चले गये,
सिर्फ धरती और मैं

खड़े रहे भावविहीन
जहाँ कभी खड़ा था पेड़,
उल्लास और कृतज्ञता से भरा हुआ।

# पेड़

(६)

यह घास यहाँ उगी नहीं
बिछाई गई है।

कभी यहाँ
हुआ करता था एक पेड़,

यह घास उसकी क़ब्र पर पड़ी
एक हरी चादर।

# पेड़

(७)

जैसे मरघट से लौटने पर
मिलता है सूना-सूना घर,
वैसे सूना-सूना मन।

खिड़की खोलने पर वह
अब मेरे सामने नहीं था,
एक पेड़ था वह

कल कट गया।

# पेड़

(८)

क्या मेरे सामने पेड़ का कटना
महज एक संयोग था?

या कि पेड़ को था मेरा इंतज़ार?
जैसे मरने से पहले

कोई करता है
अपने संतानों की प्रतीक्षा?

अपनी आखिरी साँस लेने से पहले,
वह सौंप गया मुझे विरासत में

एक महाकाव्य।

## पेड़

(१)

क्या कभी आपने अपनी आँखों से
किसी पेड़ का क़त्ल होते देखा है?

सुना है कि मरने के एक रात पहले
पेड़ बहुत रोता है।

अपने सीने पर लगी
लाल स्याही का अर्थ

जानता है वह।

# पेड़

(१०)

एक दिन बीज से
जब प्रस्फुटित होता है वह,
उल्लास देता है।

जब बड़ा होता है,
छाँव देता है।
फूल देता है, फल देता है,

देता है हमें प्राणवायु।
और एक दिन अपने प्राण भी
हमारे लिए।

मेरी मेज़
किसी आहत पेड़ का
छिला हुआ सीना,

जिस पर सिर रखकर आज मैंने
उसके दिल की धड़कनों को
पहली बार सुना,

और अपने घर की खिड़कियों
और दरवाज़ों के कंधों से लग कर
दुनिया के तमाम जंगलों को रोते हुए।

# सूरज

पश्चिम में डूबते सूरज को देख कर मैंने कहा,
जा, अब घर जाकर तू भी थोड़ा आराम कर।

सूरज ने मुस्कुरा कर कहा — देखता हूँ।
फिर हाथ हिलाते हुए वह पूरब की ओर चला गया।

## किसान

मंडियां उठती हैं, गिरती हैं।
नेता आते हैं और जाते हैं।
सत्ताएँ बनती और पलटती हैं।

पर वह वहीं का वहीं खड़ा रहता है,
कभी गेहूं की तरह, तो कभी धान की तरह,
तो कभी मकई की बालियों की तरह।

जब खेतों में कुछ भी नहीं होता
वह तब भी खड़ा होता है,
धरती के पाले में अपने पाँव गड़ाए

एक पुतले की तरह अपनी बाहें फैलाए
निष्प्राण! और पक्षी सोचते हैं
वह ज़िंदा है।

# किसानों का दुःख

किसानों का दुःख शायद मैं
पूरी तरह से न समझ पाऊं,
पर आधा ज़रूर समझती हूँ,
क्योंकि, मेरे पूर्वज किसान थे,

अपनी धरती से जुड़े हुए।
मेहनतकशों के संग बांटते थे वे
हवा, बारिश, धूप और फसल।

मेरे पूर्वजों के पूर्वज
धरती के पहले किसान थे,
अपनी फसल और दुःख दर्द के पूरे मालिक।

मेरे मन में आज भी वे रोपते हैं एक फसल
हर मौसम में, उनके पसीने की बूंदें
मेरे माथे पर चुहचुहाती हैं।

# हरी आंखों का सपना

मेरे मन के बीज पर —
पानी के छींटे मार कर देखना,
उसके टूटने पर उससे उगता हुआ

एक किसान मिलेगा।

अपनी हरी आंखों और
दो पत्तों के हाथों से
मेरा आखरी सपना वही पूरी करेगा।

## उदारता

अपनी डालों से झड़ते
पके फलों को
लूट-लूट कर खाते
लोगों को देख कर
वृक्ष ने हवाओं से कहा,
जरा और जोर लगाना।

# स्पर्श

मेरे लगाए पौधे
मेरे हाथों का स्पर्श पहचानते हैं,

ठीक उसी तरह, जैसे कोई शिशु
अपनी मां के हाथों का।

## मातृभाषा

सुबह के तीन बज रहे हैं
और नींद आंखों से कोसों दूर।
भाषा का दंश, संस्कृति का दंश, स्मृति का दंश!

मातृभाषा अधरों पर एक लंबे समय के बाद लौटी है,
किसी वेदना को मिठास बनने में
क्या इतने बरस लगते हैं?

# हिंदी

मैं अक्सर अपनी बातें
और कविताएँ, अपनी दीवार पर
हिंदी में साझा करती हूँ

यह जानते हुए भी कि
मेरे अहिंदी भाषी, विदेशी मित्र
उसे नहीं पढ़ पायेंगे।

मैं फिर भी ऐसा करती हूँ,
ताकि दुनिया को यह पता तो चले
कि मेरी भाषा कितनी ख़ूबसूरत दिखती है!

## भाषा और कवि

मुझे हिंदी या अंग्रेजी का कवि कहकर
तुम मत पुकारो, मैं बस एक कवि!

जिसने भी दी मेरे दरवाज़े पर दस्तक,
बोलती हूँ मैं उसी की भाषा में।

मुझे उर्दू या अरबी का प्रेमी कहकर
तुम मत नकारो, मैं बस एक प्रेमी!

जिसने भी दी मेरे दिल पर दस्तक,
मेरा प्रेम उसे, मेरी कविता भी उसकी।

# नए युग का कवि

नए युग का कवि
लिखता है कविताएँ,
और फेसबुक पर छापता है।

वह यूट्यूब पर सजाता है अपना मंच,
दुनिया भर से श्रोताओं को बुलाता है,

और संपादकों, प्रकाशकों
तथा आलोचकों को
ठेंगा दिखा कर चला जाता है।

# जुनैद

हर संवेदनशील कवि ने लिखी एक कविता जुनैद के लिए।
हर अच्छे इंसान ने बहाये कुछ आँसू उसकी क़ब्र पर।
हर नेता ने दिए अपने ओजस्वी भाषण,
हर बुद्धिजीवी ने जारी किये कुछ तीखे वक्तव्य!

पर मैं रही स्तब्ध और ख़ामोश।
मेरी कलम से क्यों नहीं उमड़ी एक कविता?
क्या इसलिए कि मर गया जुनैद कोई और नहीं मैं खुद?
उसका निष्प्राण शरीर, पूरब से पश्चिम तक फैली मेरी भुजाएँ,

ख़ून से सराबोर उसका माथा—उत्तर में आहत मेरा मस्तक,
और निर्ममता से कुचले उसके पैर — दक्षिण में तड़फड़ाते मेरे पाँव,
उसकी मौत पर मेरी आंखों में आंसू की एक भी बूंद नहीं,
मेरी शिराओं में बहने वाली सारी नदियां सूखीं,

कवि नहीं, मातृभूमि हूँ मैं,
हर आहत के साथ आहत,
हर जीवित के संग जीवित,
हर मृतक के संग मृत।

# ईश्वर को मोक्ष

ईश्वर ने जब भेजी थी
अपनी पहली संतान पृथ्वी की गोद में

वह न हिन्दू था, न मुसलमान,
न सिख, बौद्ध, न ईसाई।

ईश्वर न मंदिर में था, न मस्जिद में,
न गुरुद्वारे में, न गिरजा में।

वह बस प्रेम था, पर हम
उससे डरते रहे, डराते रहे हर को।

एक दिन जब दुनिया का अंत आएगा,
ईश्वर मुक्त हो जाएगा।

मिल जाएगा उसे मोक्ष
हमारे हाथों से।

# किराया माफ़

सारी दुनिया थम जाती है जब
वह चलता है सड़कों पर,
जब कुछ भी नहीं चलता,
वह तब भी चलता है

जैसे चलती है कायनात,
जैसे घूमती है पृथ्वी,
जैसे चलते हैं बादल

एक गांव से दूसरे गांव,
एक शहर से दूसरे शहर,
एक राज्य से दूसरे राज्य,
और एक देश से दूसरे देश।

वह चलते-चलते ही सुस्ताता है,
चलते-चलते लेता है झपकियाँ,
वह एक ऐसी मशीन है जिस पर जंग नहीं लगता।

वह जीवाणुओं और विषाणुओं से संक्रमित होने से नहीं डरता
अपनी प्रतिरोधक क्षमता से वह हर लड़ाई जीत लेता है,
सिर्फ हार जाता है तो भूख से, सियासत से,
षडयंत्रों से, और प्रेम की अनुपस्थिति से।

वह एक गरीब इंसान है,
हमारी भाषा नहीं बोलता,
पर समझने की कोशिश करता है।

उसकी गठरी और सूटकेस में क्या है
हम यह जानने के लिए उत्सुक हैं।
हम उससे उन्हें खोलने का अनुरोध करते हैं।
वह सकुचाता है, फिर खोल कर दिखाता है

और हम सब को गलत साबित करता है।
मज़दूर की गठरी में पड़ी सूखी रोटी
उसके गांव की धरती है, और नमक, गुड़ का ढेला,

उसके सूटकेस में फटी कमीज और पतलून के पीछे हमारा नंगा समाज है।
हम जिनके लिए बसों और ट्रेनों की कर रहे हैं गुहार,
सेंक रहे हैं जिनकी भूख के अलाव में अपनी राजनीति की रोटी,
जिसकी मजबूरी और ग़ुरबत को दिखा कर हम बढ़ा रहे हैं अपनी रेटिंग्स,

वह बेरोज़गार मज़दूर अब भी हमारे लिए
कर रहा है मज़दूरी, फैक्ट्री के बजाए हाईवे पर
वह भूखे पेट है, पर हम सबका पेट भर रहा है

हम सभी उसके कंधे पर सवार बैताल की तरह
अपने-अपने मुक़ाम पर पहुँचने के लिए अधीर हैं।
और वह ढो रहा है सारा देश
अपने पाँवों के हजार-हजार पहियों पर,

टूटी पटरियों पर चलती हुई रेलगाड़ी की तरह,
अपने जैसे जाने कितने डब्बों को जोड़े, आज से नहीं कब से,
और मुस्कुराते हुए उसने किया है — हम सब का किराया माफ़।

# इतिहास और मज़दूर

मेरे प्रांत का मज़दूर, बेटे को कंधे पर बिठाए
अपनी बची-खुची पूँजी लिए, पत्नी के साथ चला जा रहा है,
वह चलता ही चला जा रहा है।

मैंने उससे पूछा, इस तरह वह कितने दिनों से चल रहा है?
मेरे सवाल पर वह कुछ सोचने लगा, फिर बोला
आज तक यह प्रश्न उससे कभी किसी ने नहीं पूछा।

उसने भी नहीं पूछा अपने आप से।
उसे बस इतना याद है कि वह
अपने पिता के साथ भी ऐसे ही चलता था।

तब हाईवे नहीं, सड़कें कच्ची हुआ करती थीं।
वह अपने दादा के साथ भी ऐसे ही चलता था।
तब सड़कों की जगह खेत हुआ करते थे, और आरियाँ सड़कें।

इतना कह, वह फिर से चलने लगा।
जाते-जाते उसने बताया कि उसके परिवार में
उसके परदादा के पहले भी लोग ऐसे ही चलते थे।

उस समय कारखाने नहीं थे,
ना ही उनके पास खेत, इसलिए,
वे पानी पर चलते-चलते कहीं और चले गए।

उन्हें पढ़ना-लिखना नहीं आता था,
वर्ना वे चिट्ठी भेज कर जरूर बताते
कि समुन्दर पर आदमी कैसे चलता है

बिना पाँवों के निशान छोड़े। इस तरह,
एक ज़माना हो गया है उसे चलते चलते।
एक ज़माने में अब कितने दिन होते हैं, उसे नहीं मालूम।

# गाली देने वाला आदमी

गाली देने वाला आदमी हर बात पर गाली देता है,
वह अच्छी बात पर भी गाली देता है
और बुरी बात पर भी गाली देता है।

पर ज्यादातर, वह बिना बात के गाली देता है।
गाली देना अच्छी बात नहीं है।
गाली देने वाला आदमी अज्ञानी होता है।

हालांकि, वह अपने आप को
बड़ा ज्ञानी समझता है, और सोचता है,
गाली देकर वह एक नेक काम कर रहा है,

दुनिया को सुधार रहा है,
वह दुनिया को सुधार सकता है।
पर दुनिया उसके हिसाब से सुधर नहीं रही।

इसलिए वह बच्चे, बूढ़े, जवान,
औरत, मर्द, हर इंसान को गाली देता है।
वह पक्षियों और जानवरों तक को नहीं छोड़ता।

वह मोर को हरामख़ोर कहकर कहकर बुलाता है
और सड़क पर सोए भूखे कुत्तों को
उनके पेट में लात मारकर हँसता है।

उनके बिलबिलाने और भौंकने पर
उनकी माँ-बहन को गाली देता है।
गाली देने वाला आदमी खासकर

औरतों को गाली देने और
उनसे गाली खाने का बड़ा शौकीन होता है।
वह धरती, दुर्गा, काली, सब को गाली देता है।

वह सुबह होने पर सूरज को,
साँझ ढलने पर चाँद सितारों को,
और बारिश होने पर बादल को गाली देता है।

वह आसमान पर कीचड़ उछालता है,
फूलों के खिलने पर भी सिर्फ कांटे ही दिखाता है,
और माली को गाली देता है।

वह सुगंध में दुर्गंध ढूँढता है
और दुर्गंध को सुगन्धित बना कर पेश करता है।
गाली देने वाला आदमी जब सड़कों पर चलता है,

लोग परे हट जाते हैं!
क्योंकि जो भी उसे टोकते हैं,
उन्हें रोकने के लिए वह उनपर बुलडोज़र चलवाता है,

उन्हें धमकियां देता है।
उनके सपनों को चूर होता देख
वह मंद-मंद मुस्काता है।

गाली देना एक बुरी आदत ही नहीं, एक नशा है
और बीमारी भी, सोहबत से लग जाती है
फिर कभी ठीक नहीं होती।

और गाली देने वाला आदमी ऐसे ही एक दिन
गाली देते-देते मर जाता है।
और उसके अंतिम संस्कार के लिए फिर

दुनिया भर की संक्रमित आत्माएँ आती हैं।
वे गाली देने वाले आदमी को मसीहा
और उसकी मृत्यु का जिम्मेदार —

धरती, सूरज और माली को बताती हैं।
उनकी नज़र में गाली देने वाला आदमी
बिना न्याय पाए इस दुनिया से चला जाता है।

वह बादल, फूल और खुशबू बन जाता है।
फिर उसकी जगह एक दिन, कोई और आता है।

# नियंत्रण रेखा के उस पार

(१)

उनका अलग होना दुखद था।
पर वे हमसे अलग हुए कैसे
यह जानना, और न जानना,
उससे भी ज्यादा दुखद!

## नियंत्रण रेखा के उस पार

(२)

कल रात सरहद पर
मेरा दुश्मन मुझसे रुबरु था।

पर हम दोनों में से किसी ने भी
अपनी म्यान से तलवार नहीं निकाली।

सारी दुनिया सो रही थी, और हम
एक दूसरे के जख्मों को सी रहे थे।

# नियंत्रण रेखा के उस पार

(३)

एक दिन,
जब दुनिया के सारे कारागार
कैदियों से भर जाएंगे

सारे सैनिक खेत हो जाएंगे,
और कोई सिपाही
सड़कों पर दिखाई नहीं देगा

उस दिन, शांति का स्वागत करने के लिए
हमारे घरों में कौन होगा
हम नहीं जानते!

## नियंत्रण रेखा के उस पार

(४)

हर रोज, वह मेरे देश की
मौत की गुहार लगाता,
और शाम को लौट कर
जब मेरे पास आता तो कहता

बाजी, इल्म और राहत के
कुछ और अल्फ़ाज़ हों तो
उन्हें मेरी झोली में डाल दें,
बिना यह बताए कि वे आये कहां से।

उसने अपने क़बीले के हर शख़्स को
मेरी बातों को ध्यान से सुनने के लिए कहा
और बताया कि हमारे धर्म अलग हैं
पर हमारी बिरादरी का ख़ून एक।

अपने हर राज़ को मेरे सामने बेख़ौफ़ रख कर
वह निहत्था खड़ा हो गया।
मेरे दुश्मन को मेरी पहचान
मुझसे कहीं ज्यादा थी।

# मिलाप

(१)

जो गोले मीलों दूर सरहद पर जाकर गिरते हैं, उसके धमाके से
उसके बचपन के घर की खिड़कियों के कांच टूट जाते हैं।

कांच के वे टुकड़े उसके दिल में जाकर धंस जाते हैं,
अपने वतन से चार हज़ार मील की दूरी पर।

# मिलाप

(२)

अपनी लाठी की मार से उसने,
उसके दिल में बहते दुःख के दरिया को
दो हिस्सों में बांट कर उस पर किया है एहसान,

उसकी निजात का एक रास्ता निकाला है।
उस रास्ते पर मूसा की तरह चलकर वह
और कहीं नहीं जाना चाहता,

वह लौटना चाहता है अपने घर,
नीलम के उस पार अपने शहर,
श्रीनगर।

# मिलाप

(३)

और वह रो पड़ता है।
वह बात-बात पर रो पड़ता है,
और कहता है —
उसके आँसू इतने सस्ते नहीं हैं कि

वह हर किसी के सामने रोने लगे।
वह सिर्फ उनके आगे रोता है जो
उसके बिना बताए यह जान जाते हैं
कि वह रो क्यूँ रहा है।

वह अपने आंसुओं से धोता है
अपने हाथ पाँव, चेहरा और आँखें,
और अपने इतिहास के पन्नों को
दुनिया के सामने खोल कर बैठ जाता है,

और हर आने जाने वाले से कहता है — "इक़रा!"

# मेरा देश

(१)

मेरा देश उदार।
हर टेढ़ी सोच वाले इंसान को वह
सीधा मानता है।

(२)

मेरा देश एक तराज़ू।
जिसके हाथ भी आ जाता है,
डंडी मार के ले जाता है।

(३)

मेरा देश एक हास्य-व्यंग।
अपनी त्रासदियों पर हँसता है
और रात के अंधेरे में चुपचाप रोता है।

(४)

मेरा देश एक नादान बच्चा।
हर कोई एक खिलौना दे कर उसे
फुसला ले जाना चाहता है।

(५)

मेरा देश
इक जल गई रोटी,
किसने सेंकी, किसने फेंकी?

# मेरा देश

(६)

मेरा देश एक मोटा हलवाई।
थाली में छेद करने वालों को
देसी घी की पूरियां परोसता है।

(७)

मेरा देश, पूरब में प्रज्चलित एक अग्नि-पिंड।
रौशनी के लिए आज भी जाने क्यों
पश्चिम में डूबते सूरज का मुंह ताकता है।

(८)

मेरा देश, हमारी पहचान।
हम उसे नकारते रहे, धिक्कारते रहे,
लाट साहब बने दुनिया घूमते रहे, इतराते रहे।

(९)

मेरा देश गड्ढों से भरा एक चाँद,
उसे जानने और समझने के लिए
शायद जरूरी है एक चंद्रयान।

(१०)

मेरा देश एक तानाशाह।
हम सब उसके ताने-बाने
और नाजायज़ फ़रमान।

# महामारी

वह मोर्चे पर करती है काम,
घर के अंदर वह औरत है,
और घर के बाहर मर्द।
उसका असली नाम कोई नहीं जानता।
पड़ोसी उसे किमी कह कर पुकारते हैं।

किमी कोई डॉक्टर नहीं,
पर वह डाक्टरों जैसे कपड़े पहनती है।
उसे इस बात का भय है कि
वह कहीं अपने बच्चों को
कोरोना से संक्रमित न कर दे।

फिर भी उसके वयस्क बच्चे,
आज उसे छोड़ कर कहीं और चले गए।
"मुझसे दूर वे सुरक्षित रहेंगे।"
किमी बताती है तो जैसे
अपने आप को समझाती है।

अब सारा घर सिर्फ उसके लिए,
खाने और दूध से भरा फ्रिज,
ढाई दर्जन टॉयलेट पेपर्स,
और पानी के बोतलों का अंबार।
महामारी निकल जाने तक के लिए इतना काफी है।

किमी वियतनामी है,
पर लोग उसे अक्सर
चीनी समझते हैं।
वह हंसती है, और कहती है,
कोरोना काल में एशियाई होना आसान नहीं।

पर नस्ल भेद को लेकर वह
ज्यादा चिंतित नहीं लगती।
वह पहनती है दास्ताने, लगाती है मास्क,
और हॉस्पिटल से लोगों को
एहतियात के साथ उनके घर ले जाती है।

वह रास्ते में पूछती है उनका हाल-चाल।
वे सिर हिलाते हैं और मास्क के पीछे से
मुस्कुराने की कोशिश करते हैं।
वे कोरोना को ट्रैफिक, और स्मॉग से
मुक्ति के लिए देते हैं धन्यवाद।

किमी रियर व्यू मिरर में उन्हें देख कर मुस्कुराती है
और रात गए जब घर लौटती है, फ़ोन मिलाती है,
अपने मां-बाप का हाल पूछती है।
वे कहते हैं, वियतनाम में वे सही-सलामत हैं,
और किमी कहती है उनसे – वह अमेरिका में भली-चंगी।

## अमेरिका में अन्तयेष्टि

कभी सोचती हूँ, मेरी मृत्यु पर
मेरे पार्थिव शरीर का क्या होगा?
क्या इसे मेरे देश भारत भेजा जाएगा?

फल्गु के तट पर अन्त्येष्टि और मुक्ति
अब बस एक इच्छा मात्र!

पर भाग्य से एक वेंटिलेटर और
हाइड्रोक्लोरोक्विन की संजीवनी अगर
मुझे भी मिल जाए तो शायद मेरे प्राण बच जाएं।

"मिथ्या में है सत्य, और सत्य में है मिथ्या,"
कोरोना आँखें मूंदे एक ऋषि की तरह करता है प्रलाप।

मालूम नहीं, यह विषाणु वरदान है या शाप!
जैसे मक्खियाँ और मधुमक्खियां मरती हैं एक थाप से
वैसे ही यह इंसानों पर लगाता है घात।

सुनहरी धूप से भरे एक दिन हरहराती हवाओं के साथ
किसी पते की तरह उड़ जाने का सपना

और दूर कहीं एक महाघंट का
सोल्लास बजना
अब शायद बस एक ख़्वाब!

मेरी मृत्यु शैय्या समुद्र में खड़े किसी युद्ध-पोत के
एक केबिन में भी हो सकती है

जहाँ समय से अनभिज्ञ एक रात
मैं हो जाऊंगी महानिद्रा में लीन,
अपने स्वजनों से दूर, बहुत दूर,

और किसी सुनसान द्वीप पर अपने जैसे
अनेकों संक्रमित लोगों के साथ दफ़ना दी जाऊंगी।

इसीलिए मैं अपने आप से अब
कोई वायदा करना नहीं चाहती,
ना ही चाहती हूँ कि कोई मुझसे करे कोई वायदा।

मैं घोलती हूँ दूध में, हल्दी, गिलोय, हर रोज,
और पीती हूँ। शायद कर जाए कोई फ़ायदा।

## आत्मा का भूगोल

जिसका अंतिम संस्कार पश्चिम में
और आत्मा का उद्धार पूरब में,
पिछड़ा प्रवासी।

जिसका अंतिम संस्कार पूरब में
और आत्मा का उद्धार पश्चिम में,
प्रगतिशील भारतवासी।

## यात्री

मुझे अपनी आत्मा का भूगोल मालूम है।
मैं जब भी करती हूँ यात्रा, अपने साथ

अनंत काल से चला आ रहा
सृष्टि का जी. पी. एस. साथ रखती हूँ।

मैं पक्षियों की तरह हर रोज
करती हूँ सीमाओं का अतिक्रमण

पर रात गए लौटती हूँ अपने घर,
जिसका दरवाज़ा पूरब में

और खिड़कियाँ पश्चिम में।
यात्री हूँ मैं, प्रवासी नहीं।

## अधिकार

मेरी धरती से जुड़ी मेरी नाल
अब भी करती है मेरा पोषण।

उसे काटने का अधिकार
आपको किसने दिया?

# धरती से उखड़ा इंसान

मां, मैं अपने वतन वापस लौटना चाहती हूँ।

नहीं, पड़ी रहो वहीं, जहां हो अभी।
तुम्हें लेकर मुझे बुरे सपने आते हैं।
तुम्हारी वापसी पर तुम्हारे आहत होने के,
तुम्हारी संपदा के क्षय हो जाने के,

सड़कों पर सरे आम चलते
तुम्हारे गायब हो जाने के,
तुम्हारी कलम की नोक टूटने और
तुम्हारी कविताओं के वध के स्वप्न!

तुम्हारे उच्चारण और विचार
तुम्हारे प्रवासी होने की गवाही देते हैं।
अपनी धरती से उखड़ा इंसान
कभी वापस लौट कर नहीं आता।

# मुन्नी की माँ

मुन्नी की माँ मर गयी,
वह कैसे मरी, मुन्नी को नहीं मालूम।
उसकी मृत्यु के बारे में कोई बात करना नहीं चाहता,

मुन्नी को उसकी माँ की ऑटोप्सी रिपोर्ट
कोई दिखाना नहीं चाहता।
मृत आत्मा का छीछालेदर?

मुन्नी को उसकी माँ ने बेटे की तरह पाला,
इसका मतलब यह नहीं कि जो अधिकार
उसके पति और बेटों को है, वह उसे भी मिल जाए।

मुन्नी को उसकी मां की मृत्यु पर सांत्वना देने कोई नहीं आया।
मुन्नी, जिसने माँ को सारी जिंदगी अपने कंधे पर उठाया,
उसके पास रोने के लिए एक भी कंधा नहीं।

सारे कंधे सिर्फ
कंधा देने वालों के नाम।
हे राम! हे राम! हे राम!

मुन्नी की माँ के मरने के साथ-साथ
वे सारे झूठ भी राम नाम सत्य हो गए
जिसके सहारे मुन्नी की माँ जीती रही।

सिर्फ बचा रह गया सच,
उसकी माँ की एकमात्र विरासत।
जिसकी व्याख्या का अधिकार भी, सिर्फ पितृसत्ता को।

नहीं चाहिए ऐसी कोई विरासत!
मुन्नी माँ के पेट से खाली हाथ आयी थी
और खाली हाथ लौट गयी।

अपनी माँ के साथ
मुन्नी भी कहीं चली गयी।
कहाँ, उसे नहीं मालूम।

## अब

एक समय था जब मैंने अपने लिए दर्जनों जूते चप्पल रखे
पर अब मेरे पावों को चाहिए सिर्फ दो जोड़ी का आराम।

दिन में अमेरिका का बूट पहन कर मैं सारी दुनिया घूमती हूँ,
और रात को भारत का हवाई चप्पल पहन कर लौटती हूँ अपने घर।

# प्रगति

जिन पक्के रास्तों पर आज विदेशी इश्तिहार लगे हैं
वे रास्ते कभी धूल भरे हुआ करते थे,
हमारे छोटे से शहर के गली-मोहल्लों में तब
बच्चों के खेलने के लिए पार्क नहीं थे,

हम रास्ते पर ही क्रिकेट, बैडमिंटन
और कबड्डी खेल कर बड़े हुए,
और धूल भरे अखाड़ों में मल्लयुद्ध करते-करते
ओलम्पिक तक पहुँच गये।

तब ये रास्ते उदार हुआ करते थे,
अमीर, गरीब, बच्चे, बूढ़े, जवान
इनका सरोकार सबसे था,
पर आज बच्चे इन रास्तों पर नहीं खेलते,

अब इन पर सिर्फ मोटर-गाड़ियाँ दौड़तीं हैं,
और इक्के, बैलगाड़ी शर्मिंदा होकर हट जाते हैं।
और जब इन रास्तों से नेताओं के मोटरकेड्स गुजरते हैं,
राह पर चलता आम आदमी दायें-बायें।

जिन रास्तों पर कभी हमारा बचपन गुजरा,
उनसे अब मिट्टी की सोंधी महक नहीं उठती,
उन पर बारिश का पानी अब जमा नहीं होता,
मेरे वतन के बच्चे अब काग़ज़ की नाव नहीं बनाते।

## नाकामयाबी

इतने वर्षों श्रम किया,
पर कोई पूँजी नहीं बचाई,
कुछ तो बचा कर रखा होता!
प्रिय जनों ने मुझे दुत्कारा।

सोना, चाँदी, मिट्टी-गारे का ना सही,
शब्दों का ही महल खड़ा कर लिया होता?
पर तुम तो हर मामले में गरीब निकलीं।

पर उन्हें क्या पता,
मेरे संजोये शब्द चोर चुरा कर ले गए।
उनके अर्थों का मूल्य जाने बिना
उन्हें औने-पौने दामों पर बेच दिया।

कुछ शब्द बचे भी थे तो उनमें दीमक लग गए,
कुछ हवा और धूप के अभाव में प्राणहीन हो गए,
वहां, उस कोने में पड़े हैं उनके शव,

जिन्हें छूने में हाथ कांपते हैं,
उन तक पहुँचने में मेरे पैर लड़खड़ाते हैं।
कब और कैसे मैं हो गई इतनी कमजोर?
पर उनका दाह-संस्कार भी जरूरी।

लोगों का कहना सही है,
कवि के नाम पर एक कलंक हूँ मैं,
जानती हूँ, पर क्या करूं?

# आँधियाँ

समय की कच्ची पगडंडियों पर
पहर, दोपहर, अँधेरे में,
नंगे पाँव चलते हुए
क्या तुम्हें कभी डर नहीं लगता?

जिंदगी का वायदा था कि एक दिन
ये पगडंडियां पक्की सड़कों में बदल जाएँगी,
पर आज भी कीचड़ से सने तुम्हारे पाँव,
घर लौटते हैं खाली हाथ।

क्या चूक हो गई किससे,
कब और कहाँ, मालूम नहीं...
ज़िन्दगी से बेपनाह मुहब्बत थी तुम्हें, यह माना,
पर एक शिकवा कभी तो कर लिया होता?

समेट कर सारी आँधियाँ हर रोज़
तुम कहाँ रख आती हो?
तुम्हारी खिड़कियाँ, दरवाज़े, सभी सांस रोके,
तुम्हारे एक जवाब के इंतज़ार में।

# स्वदेश

रिश्ते-नाते, वादे, मोहब्बत,
पत्र, किताबें, खिलौने और चित्र

सभी औंधे मुँह ज़मीन पर पड़े,
समय की गर्द सब पर जमी।

खिड़की पर बैठे सूरज ने
डबडबाई हुई आँखों से मुझे ताका, और कहा

सारी डोलियाँ और अर्थियां
उठ गईं तुम्हारे जाने के बाद

किसके लिये लौटी हो तुम आज?
इस घर में अब कोई नहीं रहता!

मैं यह कैसे मान लूँ, कोई न कोई तो होगा?
पर इससे पहले कि मैं यह कह पाती

मेरे घर का दरवाज़ा मुझ पर
आहिस्ता-आहिस्ता बंद हो गया।

मैंने झिर्रियों से झाँकने की कोशिश की
पर अब वहां कोई न था।

सिर्फ दीवार पर नीली स्याही से लिखी
मेरी एक कविता अब भी थी टकटकी बांधे,

और फ़र्श पर पड़ा एक टुकड़ा धूप का।
लौटूंगी मैं फिर एक दिन, सिर्फ उनके लिए।

# मलबा

कल मैंने रात एक घर के मलबे में बितायी,
सबकी आंखें बचा कर कि कोई मुझे देख न ले।
मैं भी शर्मिंदगी की हद!

अपनी कल्पना में एक नन्ही लड़की बन कर,
मैंने अपने घर की छत पर
एक चारपाई फिर से बिछाई,

और गर्मी की उस रात,
चांदनी का लिहाफ़ ओढ़े तकती रही तारों को,
अपने कवि के जन्म के — पहले दिनों की तरह।

सारे पहर जाग कर मैंने
उन आवाज़ों की प्रतीक्षा की
जिन्हें सुने आज वर्षों बीत गए,

पर सब के सब मौन रहे,
यहाँ तक कि वे आत्माएँ भी नहीं आईं
जो कभी बसती थीं हमारे घर के अंधेरे कोनों में

बिना किसी को कोई चोट पहुंचाए,
विवश करतीं यह सोचने पर कि
ये सारे दर्द फिर कहाँ से आये?

गहन अंधकार में मैंने फिर से
उस गर्भ में प्रवेश करने की चेष्टा की,
जिससे इस जन्म को पाया,

और उन उंगलियों को टटोलने की कोशिश की
जिन्होंने मुझे चलना सिखाया।
पर आज मैं अकेली कैसे?

अँधेरे में डूबे हर कोने में मैंने हर किसी को ढूँढा,
और तारों में कहीं खो गईं
अपनी दादी और नानी को।

एक कहानी काश वे फिर से सुनाएं
तो नींद आए। एक कहानी से हे ईश्वर,
किसी बच्चे का विश्वास कभी न उठ पाये!

# समय

एक दिन समय ने
खिड़कियों के रास्ते बढ़ कर

बिस्तर पर पड़ी मेरी
बेजान देह को छुआ।

ठंडे लोहे सा मेरा बदन!
समय खामोशी से मेरी नब्ज़ टटोलता रहा,

ज़िंदा हूँ पगले,
मैंने उसे शरारत से कहा।

पर मेरी आँखों में नमी और
मेरे सूखे होठों को देखकर उसने पूछा,

क्या मेरे दिये दुःख अभी तक हैं तुम्हारे पास?
समय ने मेरे दुखों को लौटा ले जाना चाहा,

पर मेरी मुट्ठियाँ खाली,
समय को निराश लौट जाना पड़ा।

मेरे दुखों की एक उम्र थी,
चल बसे वे एक दिन।

पर मैं आज भी खड़ी समय के आगे
एक प्रश्नचिन्ह की तरह।

## गुम गई चिट्ठियाँ

मेरी लिखी चिट्ठी
मेरे मित्र तक जब नहीं पहुंची तो
मैंने फिर से लिखी एक चिट्ठी।

पर मेरी दूसरी चिट्ठी,
फिर तीसरी चिट्ठी भी
उन तक नहीं पहुंची।

गुम गई चिट्ठियाँ
जहाँ पहुँचती हैं,
वहां अब भला कौन जाना चाहता है!

## बात

बात करना चाहते हो तो
करो बात उस बात पर,
जो हमें एक दूसरे से
बातें करने से रोकती है।

# प्रेमिकाएँ

पचास के बाद प्रेमिकाएँ वहां नहीं होतीं
जहां मिले थे आप उनसे पहले-पहल
या आखरी बार।

समय के साथ चलतीं वे,
एक ऐसे मुकाम पर पहुँच जाती हैं,
जहाँ ना तो कोई शुरुआत, न अंत।

पचास के बाद प्रेमिकाएँ
न तो भूत होती हैं,
न वर्तमान, न भविष्य।

## ठाकुरों का समाज

ठाकुरों का समाज अलग होता है,
और ठकुराइनों का समाज अलग।

ठाकुर युद्ध करते हैं, शासन करते हैं,
करते हैं सभाएँ और आखेट।

और ठकुराइनें एकांत में करती हैं —
प्रेम, प्रतिज्ञा, और प्रायश्चित!

# संभ्रांत

कौन कहता है
संभ्रांत वर्ग के लोग
उदार नहीं होते?

उनकी देहरी पर आज भी आठ, दस,
और बारह साल के बच्चे पलते हैं,
जो उनके नहीं होते।

ये बच्चे कहाँ से आते हैं?
क्यों आते हैं? खेलने के समय में
वे क्यों नहीं खेलते?

पढ़ने के समय में वे स्कूल क्यों नहीं जाते?
वे आसमान की पाठशाला में
रात की स्लेट पर

सफ़ेद खड़िया से लिखते हैं —
'ख' से खाना, 'ग' से गरीब
और 'ड़' से कुछ नहीं।

वे संवार-संवार कर लिखते हैं
'स' से सपना, 'ह' से हंसना
फिर वहीं सो जाते हैं,

बिछा कर अपनी खाट,
और सपनों की हाट में
खो जाते हैं।

अपने स्वप्न में वे अपने नाम के आगे
ऊंची जाति के नाम का
एक फूल लगाते हैं,

जैसे किसी बगीचे से
कोई बच्चा चुराता है
एक गुलाब।

उसकी खुशबू उन्हें खूब भाती है,
पर आंखें खुलने पर वे अपने हाथों को
पाते हैं लहूलुहान।

गुलाब के साथ कांटे भी आते हैं,
सपने में उन्हें नहीं रहा ध्यान,
भूल गये मां-बाप की हिदायतों को।

वे फिर से लिखते हैं अपना नाम,
शंकर, वाल्मीकि, और राम।
और करने लगते हैं काम।

उसके लिए वे पाते हैं —
दो शाम की रोटी, और कभी-कभी
मोमो, चाऊमीन और आइसक्रीम भी।

वे पाते हैं वेतन और
यहाँ वहाँ — सौ, पचास,
जिसे भेजते हैं अपने गांव, घर।

वे देखते हैं बड़े स्क्रीन वाले टी. वी. पर सिनेमा,
विदेशी उत्पादों का प्रचार, और सोचते हैं —
अपने माँ बाप से उनकी ज़िन्दगी कितनी बेहतर।

वे सीखते हैं मशीन से कपड़े धोना, सुखाना,
आयरन करना, जूते चमकाना, खाना बनाना,
पोछा लगाना, और भी बहुत कुछ।

वे बख़्शिश में पाते हैं कपड़े, जूते,
साबुन, तेल, और कभी-कभी
मालिकों के पुराने मोबाइल भी

जिससे लेते हैं वे अपनी सेल्फ़ी।
पर अपनी उन तस्वीरों में वे फिर भी क्यों
संभ्रांत घरानों के बच्चों की तरह नहीं दिखते?

जिज्ञासा वश वे मोबाइल को पेचकस से खोल कर
इस बात का कारण जानना चाहते हैं।
पर कैमरा कुछ भी नहीं कहता साफ़-साफ़।

वे फिर भी अपने मालिकों को
कहते हैं अपना माई-बाप।
'व' से विडम्बना, 'श' से शाप! 'म' से मुक्ति!

## रामायण

आज यूं ही अचानक
सीतरमवां की याद
कहां से आई?

जिसे घर में हम बच्चों के सिवा
सीताराम कहकर
शायद ही किसी ने पुकारा।

वह या तो सीतरमवां कहलाया
या ठेठ भोजपुरी में
"नोकर" कह कर पुकारा गया।

"सुनीं जी नोकर," यह मीठा सम्बोधन
उसे सिर्फ घर की स्त्रियां ही देती थीं।
पर दादी इसका भी अपवाद।

सीतरमवां, जो हर रोज हमारे बर्तन मांजता था,
राशन और सब्जियां लाता था,
उन्हें धोता था, काटता था,

सीतरमवां, जो हर हफ़्ते टाल से
कोयले उठाता था, उसे पत्थर से थूरता था,
और सुबह-साँझ हमारे चूल्हे भरता था,

जो गर्मी के दिनों में
पानी ठंडा रखने के लिए
नंगे पाँव बर्फ़ खरीदने

नई गोदाम चौराहे की दौड़ लगाता था,
और अपनी चप्पल सिर्फ पर्व, त्यौहार
या किसी ब्याह में ही निकालता था,

सीतरमवां, जो हर रविवार को
हंडे में पानी उबालता था,
उसमे सोडा डालता था,

हमारे चादर, तकिये का खोल,
तोशक, रजाई और कंबल साफ़ करता था,
उन्हें छत पर खिली धूप में सुखाता था,

अब धरती के किस कोने में
कैसे, और कहां पड़ा होगा?
या कि मर गया होगा सीतरमवां अब तक?

कौन था यह सीतरमवां?

एक शोषित बाल-मज़दूर?
भाग्य का मारा एक इंसान?
या किस्मत का पहलवान?

वह उम्र में मेरे पिता से बड़ा था,
और बारह वर्ष की आयु से ही
उनके साथ पला-बढ़ा था।

दादा और दादी,
उसकी माँ की विनती पर उसे
नबीनगर थाने से गया लाये थे।

कोर्ट बाबू का नौकर कहलाता,
इतराता सीतरमवां, उड़ा-उड़ा
रोज पहाड़ के चक्कर लगा कर आता,

और मैदान में बैठा जब बीड़ी, दारू,
गांजा और भांग पीता पकड़ाता
तो मुअला का मार पिटाता।

सीतरमवां,
जो मेरे पोसे कबूतर
और मुर्गियां चुराता था,

अपने यार दोस्तों के साथ उन्हें
सेंक, भून कर खाता था,
और रामनवमी के दस दिन पहले से ही गुड्डियाँ उड़ाता था,

वह सीता का राम नहीं,
एक गरीब कहार का बेटा था,
ऊंची जाति की शब्दावली में

एक 'नान्ह जात!'
उसके दादा-परदादा
जमींदारों की पालकियां उठाते थे,

पर आज उसकी स्मृति
मेरे कंधों पर हौले-हौले,
उसकी गुहारें मेरे सीने मे,

उसके दिल की अनमनाहट
मेरे शब्दों में बेचैन!
यह समय का कैसा फेर?

दो जोड़े कपड़े,
तीन शाम का खाना,
और बीस रुपये महीने के पगार में

बीस साल तक खुश रहने वाला सीतरमवां
अब अचानक खुश नहीं था,
जाने क्यूँ...

पचास रुपये महीने तनख़्वाह की मांग
स्वीकृत हो जाने पर भी
वह खुश नहीं था,

तभी तो अचानक एक दिन
लोप हो गया कहीं।
अपनी मां से मिलने की चाह थी उसे,

अपनी बहन सुरजी से मिलने की इच्छा,
एक सपना चाय की एक दुकान खोलने का,
और महंत की बेटी के साथ भागकर शादी रचाने का।

भागा होगा वह अपने सपनों के पीछे,
अपना गेंदरा और कम्बल छोड़ कर, बेवकूफ़!
जिन्हें ओढ़-बिछा कर वह घर के दरवाज़े के पास सोता था।

सोते हुए भी तो काम ही करता था सीतरमवां।
अपनी नींद में हमारा दरबान था वह।
और उसके बिस्तर पर हम बच्चे उसके मेहमान।

जब दिन में झपकियाँ लेता था सीतरमवां,
हम कान में खुँसी उसकी बीड़ी उड़ा ले जाते,
और उसके जागने पर उसके संग पत्ते खेलते।

दादी हमें उसके कंबल पर बैठने से दुर-दुरातीं
और माँ को शिकायत भेज कर हमें
मल-मल कर नहलवातीं।

पर आज उसका वह मैला कंबल, एक जादुई कालीन,
जिस पर बैठ कर सागर को लांघते,
बारह हज़ार मील की यात्रा क्षण में संभव।

पर आज कहां होगा सीतरमवां, मालूम नहीं,
कहाँ होगी उसकी चाय की दुकान,
उसकी प्रेम कहानी?

सारी रात मेरे सपने में वह
पहसी लेन की अंधेरी गलियों में
अपनी टूटी साइकिल चलाता रहा,

और मैं भागती रही उसके पीछे
पुकारते हुए उसका नाम,
सीताराम! सीताराम! ऐ सीताराम...!

## न्यूनतम मूल्य

ये रहीं मेरे मन के खेत से उगीं कुछ ताजा कविताएँ
मुझे मेरी फसल का न्यूनतम मूल्य कौन देगा?

कौन है साहित्य जगत का तानाशाह?

## परिचय

बुद्ध की धरती गया में जन्मी कल्पना सिंह (कल्पना सिंह-चिटनिस), आधुनिक हिंदी कविता के क्षेत्र में एक सुपरिचित नाम हैं। अस्सी के दशक से लिख रहीं कल्पना सिंह की रचनाओं का प्रकाशन हंस, पहल, धर्मयुग, कादंबिनी, साक्षात्कार, वर्तमान साहित्य, दस्तावेज़, बहुमत, मंतव्य, आजकल, टाइम्स ऑफ इंडिया, इंडियन एक्सप्रेस, नवभारत टाइम्स, डेक्कन हेराल्ड, प्रभात खबर, दैनिक जागरण, आज, सबरंग, हिंदी लिटरेचर टुडे, साहित्यकी आदि प्रमुख हिंदी पत्र-पत्रिकाओं में हुआ है। कल्पना सिंह की कविताओं का अनुवाद अंग्रेजी, यूक्रेनी, स्पेनिश, फ्रेंच, इतालवी, जर्मन, अल्बानियाई, चेक, अरबी, नेपाली, उर्दू, बांग्ला, तेलुगू, मलयाली, गुजराती तथा अन्य भाषाओं में किया गया है। हिंदी और अंग्रेजी, दोनों भाषाओं में समान रूप से लिखने वाली कल्पना सिंह की प्रमुख पुस्तकों, फिल्मों और अन्य उपलब्धियों की सूची निम्नांकित है।

**शिक्षा:** एम. ए. राजनीति शास्त्र (मगध विश्व विद्यालय, बोधगया). फिल्म निर्देशन (न्यूयॉर्क फिल्म अकादमी), बुद्धिज़्म थ्रू इट्स स्क्रिप्चर्स (हार्वर्डएक्स, हार्वर्ड यूनिवर्सिटी)

**हिंदी काव्य-संग्रह:** जो तुम हो वही हूँ मैं (अग्निपथ, २०२४ ), तफ़्तीश जारी है, निशांत (कादंबरी, १९९३ ) "चाँद का पैवंद (अयन प्रकाशन, १९८६)

**अंग्रेजी काव्य संग्रह:** ट्रेसपासिंग माय एनसेस्ट्रल लैंड्स (फिनिशिंग लाइन प्रेस, २०२४ ), लव लेटर्स टू यूक्रेन फ्रॉम उयावा (रिवर पॉ प्रेस, २०२३), बेयर सोल (पार्ट्रिज, २०१७)

**अनुवाद:** केदारनाथ सिंह, विश्वनाथ प्रसाद तिवारी, मुक्तिबोध, अज्ञेय, विष्णुचंद्र शर्मा, निलय उपाध्याय , हरे प्रकाश उपाध्याय, बिमलेश त्रिपाठी तथा अनेक यूक्रेनी कवि

**उल्लेखनीय पुरस्कार और सम्मान:** बिहार राजभाषा परिषद् पुरस्कार (१९८६, इंडिया), बिहार श्री (१९८७, इंडिया), "नाजी नामन लिटरेरी प्राइज फॉर क्रिएटिविटी" (२०१७, लेबनॉन), राजीव गाँधी ग्लोबल एक्सीलेंस अवार्ड (२०१४ इंडिया), "इंटर्नेशल बुक अवार्डस" (फाइनलिस्ट) तथा "नेशनल इंडी एक्सेलेंस अवार्डस," फाइनलिस्ट (२०२३, यू. एस. ए.), "ह्रिहोरी कोचुर लिटरेरी अवार्ड" (२०२४, यूक्रेन), वोलोदिमीर तिमचुक द्वारा "लव लेटर्स टू यूक्रेन फ्रॉम उयावा" के यूक्रेनी अनुवाद के लिए

**उल्लेखनीय फ़िल्में और फिल्म पुरस्कार :** गुडबाय माय फ्रेंड (फ़ीचर फिल्म), गर्ल विथ एन एक्सेंट (सिल्वर अवार्ड, मुंबई इंटरनेशनल फिल्म फेस्टिवल), द ट्री (बेस्ट एक्सपेरिमेन्टल शार्ट फिल्म अवार्ड, नार्थ डकोटा इन्वॉयरन्मेंटल राइट्स फिल्म फेस्टिवल, यू. एस. ए.)

**विशेष:** "चाँद का पैवंद" की कवयित्री कल्पना सिंह की कविताएं, और इनकी कविताओं पर आधारित लघु-फिल्म "रिवर ऑफ सांग्स," को "लूनर कोडेक्स" में संग्रहित कर नासा, स्पेसएक्स और इंट्यूटिव मशीन अभियान के तहत २०२४ में चंद्रमा के दक्षिणी ध्रुव पर ले जाया गया।

**संप्रति:** लेखिका और फिल्म निर्देशिका: हॉलीवुड, लॉस एंजेलेस, सदस्या: यूनाइटेड नेशंस एसोसिएशन ऑफ़ द यू. एस. ए. , लेक्चररः अंतर्राष्ट्रीय राजनीति, गया कॉलेज, गया, (बिहार), इंडिया (१९९२-१९९३)

# कल्पना सिंह के हिंदी काव्य-संग्रह

जो तुम हो वही हूँ मैं

तफ़्तीश जारी है

निशांत

चाँद का पैवन्द

## संपर्क

ईमेल

hindiliteraturetoday@gmail.com

वेबसाइट

www.kalpnasinghchitnis.com

Milton Keynes UK
Ingram Content Group UK Ltd.
UKHW030851111124
451035UK00001B/138